J'aime pas les côtelettes !

Loi n°49956 du 16 juillet 1949 sur les publications destinées à la jeunesse.
ISBN : 978-2-09-251774-1
N° d'éditeur : 10158411 - Dépôt légal : janvier 2009
Imprimé en France par Pollina, 85400 Luçon - n° L49318

J'aime pas les côtelettes !

TEXTE DE MYMI DOINET

ILLUSTRÉ PAR FABRICE TURRIER

Dans la famille Croktoucru,
on est ogre de père en fils.
Alors, quand Oscar est né,
quelle fête dans la forêt
de Millesapins !

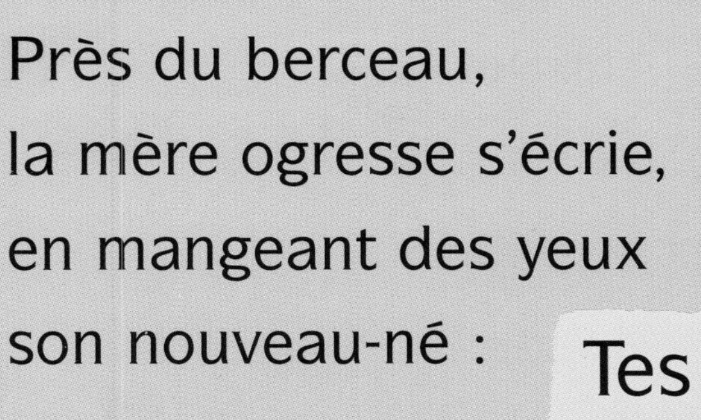

Près du berceau,
la mère ogresse s'écrie,
en mangeant des yeux
son nouveau-né :

L'énorme monsieur Croktoucru
est tout aussi fier !
Pour le gros rot d'Oscar,
il agite un bavoir grand
comme un drap,
et il dit à son fils chéri :

Dans un mois,
tu pèseras
mille kilos !
OSCAR

Jour après jour,
Oscar grandit à vue d'œil.

Il tend son hochet
vers la lune
et babille :

À six mois, Oscar est haut comme un sapin, et il a déjà presque toutes ses dents !
Dans la forêt, le grand petit ogre n'a qu'à tendre la main pour jouer aux gloutons. Il avale tous les pépins.

Miam, les pommes
et les poires,
ça croque
sous les mâchoires !

Des fruits, beurk !
Madame Croktoucru fait la grimace.
Pour que son fils devienne
grand comme une montagne,
elle va vite lui préparer
sa première bouillie.

La mère ogresse mélange cinquante kilos de viande hachée dans une marmite.
Elle bave d'envie :

Madame Croktoucru chantonne :

Avec ses quenottes toutes neuves,
Oscar mordille la viande hachée,
et la recrache.

Pouah ! les boulettes,
c’est pas bon.

Après ce dîner, fort peu à son goût,
Oscar fait une grosse colère !
Chut, du calme ! Monsieur Croktoucru
ouvre son livre de contes et il lit :

Quelle horreur ! Oscar se bouche les oreilles :

Décidément, Oscar est un petit ogre bizarre. Face aux plats de chair fraîche, il boude :

Oscar préfère les chaudrons de marrons chauds.

Pour monsieur et madame Croktoucru, c'est la catastrophe. Ils se lamentent : Il faut soigner Oscar !

Madame Croktoucru court
chez monsieur Tartare,
l'ogre docteur.
La mère ogresse
se désespère :

Mais, inutile de se faire du souci,
le docteur Tartare trouve le bébé ogre
bien costaud comme il faut.

Madame Croktoucru manque alors de s'étrangler :

Le docteur Tartare la rassure :

Le docteur Tartare avait bien raison :
sans manger de viande,
Oscar continue de grandir.

À six ans, sa tête touche les nuages, et il a bon appétit ! Dans la forêt, Oscar fait son marché :

Quel métier Oscar va-t-il choisir ?
L'ogre végétarien sera cuisinier !
Dans son restaurant, pas d'enfants
rôtis au menu, mais des tonnes
de fruits et de légumes !

Parmi les gourmands, il y a ses parents.
Madame Croktoucru se régale :

Monsieur Croktoucru postillonne :

Depuis, Oscar invente chaque jour
de nouvelles recettes !
Ce soir, au dîner, qui se régale
de chips de courgettes ?

C'est le Petit Poucet !
Pas peureux du tout, il saute sur
les genoux de monsieur Croktoucru,
et il rigole en lui tirant la barbichette :

Le texte à lire dans les bulles est conçu
pour l'apprenti-lecteur.
Il respecte les apprentissages du programme de CP :
le niveau TRÈS FACILE correspond
aux acquis de septembre à décembre
et le niveau FACILE à ceux de janvier à juin.

Cette histoire a été testée à deux voix
par Sophie Dubern, institutrice, et des enfants de CP.

Découvre d'autres histoires dans la collection
nathanpoche premières lectures

LECTURE FACILE

T'es trop moche, Jim Caboche !

de Guy Jimenes, illustré par Benjamin Chaud

Arno a très envie de **jouer** au pirate avec son **papa**. Mais celui-ci est trop occupé à réparer la voiture. Pauvre Arno ! Comment faire pour obliger son père à se battre comme tout **pirate** qui se respecte ? Il n'y a plus qu'une solution : le provoquer en duel !

Bas les pattes, pirate !

de Mymi Doinet, illustré par Mathieu Sapin

La princesse Zoé passe ses **vacances** sur le bateau de son père, le roi Igor. Elle commence tout juste à **s'amuser** avec le matelot Léo, lorsqu'une menace s'abat sur le navire : des **pirates** !

Sauve qui pou !

de Mymi Doinet, illustré par Gaëtan Dorémus

Pablito, le petit **pou**, est ravi : il a trouvé une **tête** où faire son nid ! Il glisse sur les nattes de Sara comme sur des toboggans. Mais la fillette n'est pas d'accord. Elle en a assez de se **grattouiller** la tête. Gare à toi petit pou, la chasse est ouverte !

Je suis Puma Féroce !

de Laurence Gillot, illustré par Rémi Saillard

Au supermarché, Loulou se transforme en **sioux** : désormais, il faut l'appeler **Petit Ours** ! Pendant que sa mère, Fleur de Lotus, continue les courses, le petit Indien va vivre de grandes **aventures**…

HUMOUR

Le vampire qui avait mal aux dents

de Ann Rocard, illustré par Claude et Denise Millet

Pikadir le **vampire** a si **mal** aux dents qu'il ne peut plus boire de sang. Franchement, pour un vampire, il y a de quoi **rire** ! Pikadir survole la ville à la recherche d'un **dentist**e…

▷ Série *Calamity Mamie*
de Arnaud Alméras, illustrée par Frédéric Joos

Calamity Mamie et le Président

Aujourd'hui, Calamity Mamie emmène Élise et Romain découvrir le Palais de l'**Élysée**, où vit le **président** de la République. Entre les dorures des beaux salons et les bêtises de la mamie la plus gaffeuse du pays, la **visite** réserve bien des surprises !

fantastique

Le sac à sorcière

de Agnès de Lestrade, illustré par Robin

Lili a reçu une **sorcière** en chiffons magique : « Prononce un **voeu** au creux de son oreille » et il sera **exaucé**. Lili n'hésite pas une seconde sur son **souhait**. Elle va passer une super journée !

J'ai été mordu par un extraterrestre !

de Alain Grousset, illustré par Martin Jarrie

Le jour d'Halloween, une **soucoupe volante** atterrit dans le jardin d'Harry. Un petit **extraterrestre** en sort, s'approche du garçon… et lui mord le doigt ! Harry en devient **vert** de colère…